河口沼泽生态

HEKOU ZHAOZE SHENGTAI

台湾牛顿出版股份有限公司　编著

U0229354

接力出版社
Publishing House

桂图登字：20-2016-224

　　简体中文版于 2016 年经台湾牛顿出版股份有限公司独家授予接力出版社有限公司，在大陆出版发行。

图书在版编目（CIP）数据

河口沼泽生态/台湾牛顿出版股份有限公司编著．—南宁：接力出版社，2017.3（2024.1重印）
（小牛顿科学馆：全新升级版）
ISBN 978-7-5448-4762-9

Ⅰ.①河… Ⅱ.①台… Ⅲ.①河口生态学－儿童读物 Ⅳ.①Q178.53-49

中国版本图书馆CIP数据核字（2017）第029239号

责任编辑：程　蕾　郝　娜　美术编辑：马　丽
责任校对：杨少坤　责任监印：刘宝琪　版权联络：金贤玲
社长：黄　俭　总编辑：白　冰
出版发行：接力出版社　社址：广西南宁市园湖南路9号　邮编：530022
电话：010-65546561（发行部）　传真：010-65545210（发行部）
网址：http://www.jielibj.com　电子邮箱：jieli@jielibook.com
经销：新华书店　印制：北京瑞禾彩色印刷有限公司
开本：889毫米×1194毫米　1/16　印张：4　字数：70千字
版次：2017年3月第1版　印次：2024年1月第11次印刷
印数：121 001—128 000册　定价：30.00元

目 录

写给小科学迷

　　位于河海交界处的河口，拥有独特的生态系统，不但是洄游鱼类返家途中的休息站，也是水鸟栖息觅食的驿站，更是招潮蟹的天堂和红树林植物的家。近年来，有些地区由于偏重经济开发，破坏了河口自然景观及生态系统，导致人类的生存出现危机。相反，有许多国家在河口开发与保护方面却总能取得平衡，并发展出特有的人文景观和生态文化，值得大家一起学习。人类唯有尊重大自然，与大自然为友，才能生生不息地繁衍下去。

河口沼泽生态

"哎呀！怎么回事？明明昨天还在这儿钓鱼的，怎么这会儿全成了烂泥滩了，该不会是我记错地方了吧？"其实，谁都没记错，只不过这里是一片河海交汇的泥滩地，所以当涨潮时，泥滩就会摇身一变，成为积水的水泽，等潮水退去后，才又露出它泥泞的面目。

　　这时，许多你意想不到的生物便纷纷登场了！

守望相助的好邻居

"忙了一晚，你们好好休息，我们干活去了，顺便替我们看一下家！"一大清早，红树林里传出叽叽喳喳的鸟叫声，原来准备出门的牛背鹭和小白鹭，正和回巢不久的夜鹭在寒暄。每年3—8月是鹭类准备结婚、生宝宝的时期，这时，每对夫妻会携手合作共同建造一个新家，于是红树林里筑满了牛背鹭、小白鹭和夜鹭的窝巢，看起来就像一排排公寓。

鹭类大多选择在海拔800米以下、觅食方便的场所筑巢，例如溪流、泥泞的海滩或水稻田附近的红树林、相思树林、竹林中。

4

扫一扫，看视频

生命力强悍的植物

带着宝宝的水笔仔

　　"你真细心，把宝宝挂在身上，这样就可以随时照顾它们了。"鹭类由衷地称赞水笔仔，因为它看到水笔仔不辞辛劳地把种子保留在母树上，一直到它们萌芽长到 15 厘米长，能够独立适应环境的时候，才让它们离开，到外面闯天下。这些发育成熟的幼苗直接掉落下来，笔直地、牢牢地插在泥沼里，开始了新生活；但是也有一些幼苗运气不好，无法落地生根，只能随波逐流，等待更好的生长机会了。水笔仔的"胎生"方式在植物中是非常特殊的！

世界上的红树林植物共有
100多种，大多生长在热带、亚
热带的海滨及河口的泥滩中。

红冠水鸡

哇，涨潮了!

"好棒哟! 又可以下水游泳了! "每天两回的涨潮，
是小水鸭最快乐的时候，因为沼泽里高大的水笔仔、芦
苇都被潮水淹到只露出上半截，而一些矮小的植物早已
被淹没得不见踪影了，喜欢在水面上浮游的小水鸭，这
时的活动范围就更宽广了。

小水鸭（雌）

小水鸭（雄）

　　沼泽中有许多营养物质，在潮水退去时，会被带到河口的外围，吸引许多海中的鱼、虾、蟹和贝类前来觅食。它们甚至在这里安居落户，繁殖下一代，于是在河口沼泽的外围，会逐渐形成另一个热闹的小社会。

黄小鹭

大苇莺

芦苇

10

歇脚遮阴的好地方

"真是选对地方了,每次回到这里都觉得既安全又舒适!"大苇莺站在芦苇上心满意足地喃喃自语,一副陶醉其中的模样。由于环境恶劣,能够生活在沼泽的植物种类不多,芦苇和茳芏(jiāng dù)是其中的佼佼者,它们一大片一大片地挺立在沼泽上,为鸟类提供歇脚遮阴的场所,而且它们的枯枝落叶能让这片贫瘠的土地更肥沃。

茳芏

白眉鸭

白冠水鸡

走，大伙儿一块吃大餐

"准备好了吗？咱们一起动身吧！"六带鰺（shēn）、花身鸡鱼和污鳍鯔（zī），常常趁涨潮时从海里游到潮水漫流的沼泽中。除了随河水而来的鱼、虾和一些软体动物外，还有藻类和腐败的枝叶，这么多好吃的东西，每每都让六带鰺、花身鸡鱼等大快朵颐、流连忘返。

污鳍鯔

六带鰺

烧酒海螺

花身鸡鱼

文蛤

弹涂鱼的本事大

"你们慢慢吃，我先告辞了！"弹涂鱼向六带鲹、花身鸡鱼辞行后，就爬到红树林的树干上休息。这种爬树的本事，让鱼儿们看得目瞪口呆，羡慕极了。弹涂鱼拥有一对可以向前弯曲的胸鳍，而且它的腹鳍长得像吸盘，所以可以自由地爬行并吸附在树干上。

能游善爬还能跳

"再露一手给你们瞧瞧！"弹涂鱼不仅能爬树，退潮后，更能在泥沼地上跳跃游玩，追逐小虫来吃。当然，这都是因为它除了用鳃呼吸外，还可以利用皮肤来呼吸，所以只要保持身体表面湿润，弹涂鱼就能轻松自在地在陆地上活动！

地下室里住户多

"终于可以出来找东西吃了，都快饿扁了！"

退潮以后，住在洞穴里的生物，如沙蚕、海螺等，都纷纷爬出来找寻食物。这时，势力庞大的招潮蟹也准备好好地大吃一顿。雄招潮蟹长有一对大小悬殊的螯，它利用

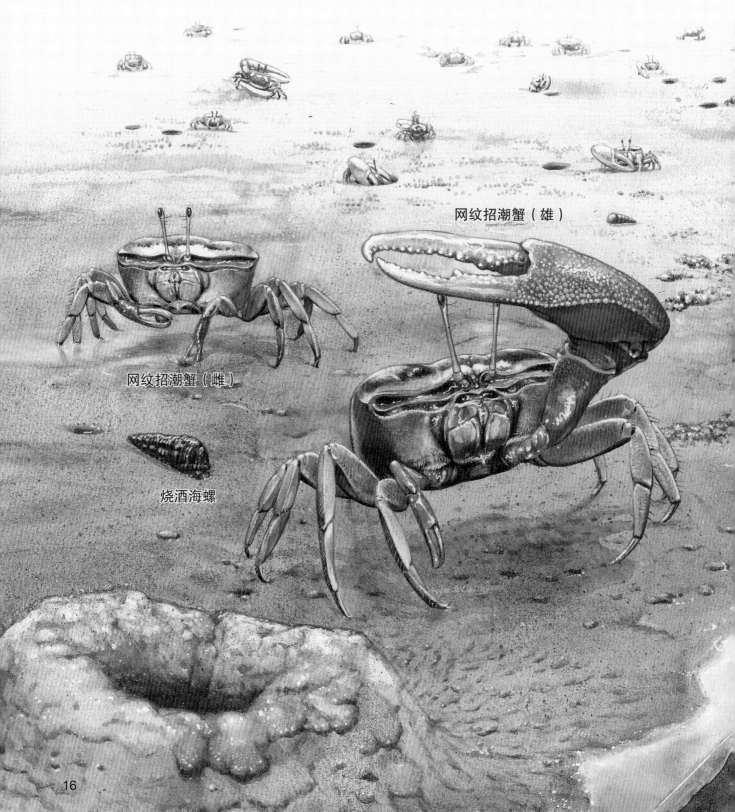

网纹招潮蟹（雄）

网纹招潮蟹（雌）

烧酒海螺

小螯舀取湿润的泥土，放入嘴里，吞下有营养的东西，而把粗糙没用的东西吐出来。吐出来的小颗粒，因为没有真正经过消化，所以叫"拟粪"。雌招潮蟹吃东西就方便多了，因为它可以同时挥动两只小螯来进食！

白扇招潮蟹（雄）

沙蚕

蚬

沙蚕

文蛤

遇上克星跑不掉

"救命呀！"正在进餐的招潮蟹，没有注意到在旁伺机已久的小白鹭，说时迟，那时快，可怜的招潮蟹连挣扎的机会都没有，就已经被小白鹭叼在嘴里了。其实，鱼才是小白鹭最喜欢的食物。小白鹭有一双又长又细的腿，这让它可以静静站在水里，屏气凝神地等待捕捉猎物的时机。除此之外，它还喜欢吃青蛙、昆虫等动物。

浪迹天涯的旅行家

"小白鹭，你住在这片食物丰富的土地上，真是幸福。哪像我们，一到冬天，老家就遍地白雪，连一点儿吃的都找不着！"候鸟们羡慕地说。每年的9—12月，100多种栖息在我国东北、俄罗斯西伯利亚，甚至北极圈等地的鸟类，会不远万里地来到这块有鱼虾、贝类、昆虫和藻类的沼泽地，度过一个温暖的冬天；直到第二年4—5月时，才陆续返回老家。不过，也有些鸟只在这儿停留几天，等体力恢复后就继续往南飞，到更远、更暖和的地方过冬。

滨鹬

青足鹬

高跷鸻（héng）

东方环颈鸻

"交班"时刻好热闹!

　　"兄弟们！天色已经不早了，咱们回家吧！"太阳渐渐西沉，工作了一天的小白鹭一批批地飞回红树林。由于它们喜欢集体行动，所以总会呼朋引伴地一块回家，给人一种温馨又壮观的感觉。黄昏的来临，不但结束了许多动物一天的活动，同时也为喜欢夜间活动的动物揭开了序幕。这时沼泽区里传来夜鹭阵阵粗哑的叫声，"呱！呱！呱！……"它们喜欢在夜间活动，捕捉鱼儿当作晚餐。

星空下的小精灵

　　"咦，怎么好像有很多小东西在泥滩上走动？" 没错！是滨鹬正低头忙碌地戳呀戳，想从泥里找些沙蚕吃。滨鹬的活动主要和潮水的涨退有关，只要退潮，泥滩地露出来时，就算是在夜晚，它们也不会放弃进食的机会。

气候温暖食物丰，
候鸟光临乐陶陶。

大苇莺

高跷鸻

大白鹭

花嘴鸭

大杓鹬

小水鸭

黑胸鸻

黄鹡鸰

白眉鸭

青足鹬

滨鹬

污鳍鲻

红冠水鸡

系上脚环探鸟踪

"有鸟上网了！快把它们解下来，免得冻着了。"

为了了解这些候鸟长途跋涉的旅程，许多国家联手合作，用安全的方法捕捉候鸟，给它们系上一个有数字编码和联络信箱号码的脚环，然后放走。当其他国家的研究者再捕到它们时，就依着联络信箱号码，通知该国候鸟来过这里。这样在大家的共同努力下，人类就可以进一步地了解候鸟迁徙的路线，并且对它们进行保护。

1. 架网

黄昏时，潮水退去，工作人员到泥滩地上架起网子。

5. 放飞

结束了一系列的手续后，把鸟儿放走，让它们重回大自然的怀抱。

泽鵟（kuáng）

夜鹭

小白鹭

针尾鸭

黑脸鹀（wú）

粗纹玉黍螺

黑尾鹬

东方环颈鸻

隐蟹

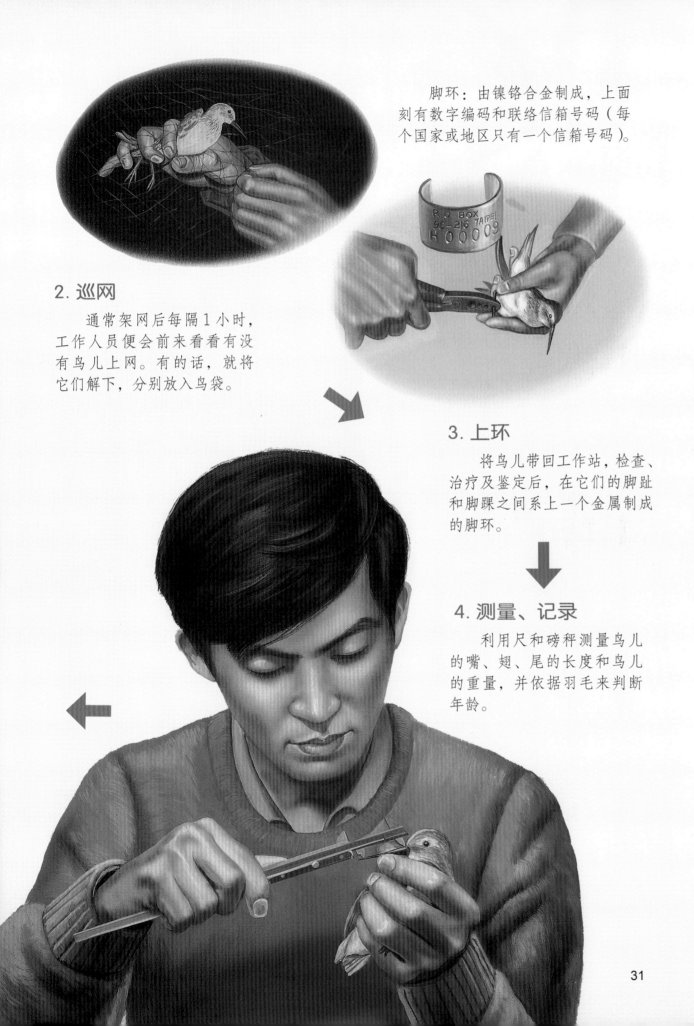

脚环：由镍铬合金制成，上面刻有数字编码和联络信箱号码（每个国家或地区只有一个信箱号码）。

2. 巡网

通常架网后每隔1小时，工作人员便会前来看看有没有鸟儿上网。有的话，就将它们解下，分别放入鸟袋。

3. 上环

将鸟儿带回工作站，检查、治疗及鉴定后，在它们的脚趾和脚踝之间系上一个金属制成的脚环。

4. 测量、记录

利用尺和磅秤测量鸟儿的嘴、翅、尾的长度和鸟儿的重量，并依据羽毛来判断年龄。

河口沼泽的形成

这么一片广阔而热闹的沼泽，到底是如何形成的呢？一起来看看吧！

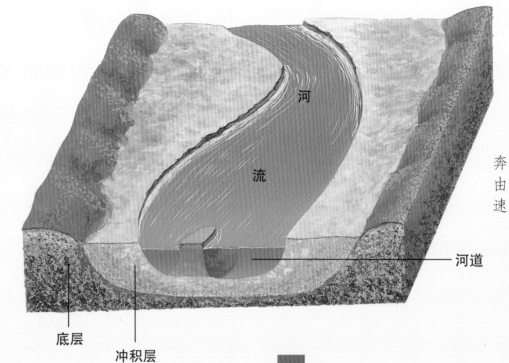

河水自上游一路奔流而下，到了河口，由于地势平缓，水流速度渐渐慢下来。

河流

河道

底层

冲积层

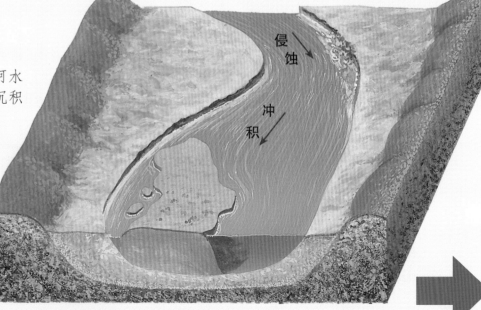

原本悬浮在河水中的泥沙，逐渐沉积下来。

侵蚀

冲积

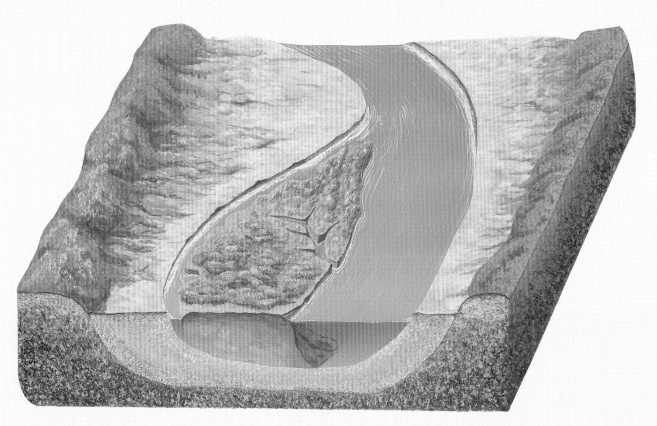

　　除了河水带来的泥沙外，海水涨潮也会带来许多泥沙，这些泥沙越堆越多，等到这个地区的高度和水面差不多高时，会受到海水涨潮、退潮以及河水的影响，整个地区始终保持湿润的状态，因此称为"河口沼泽地"。

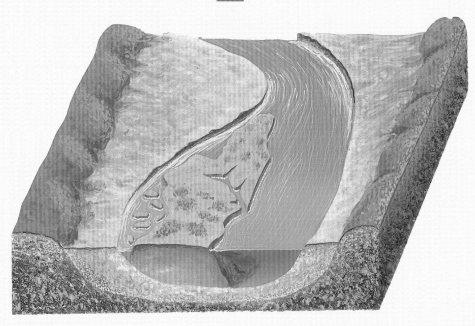

　　日积月累，堆积的面积越变越广，泥中的养分也越来越多，一些耐湿耐咸的植物开始逐渐繁殖。这些植物的根深植在泥沙中，使土壤更为结实。

双齿围沙蚕

退潮后，泥滩开始热闹起来了。

除了挥动大螯四处横行的螃蟹之外，你是否留意到双齿围沙蚕也是泥滩上常见的一种动物呢？虽然双齿围沙蚕是河口泥滩上常见的一种沙蚕，不过，大家对它多半是"相见不相识"，直到它适合当鱼饵的特点被钓鱼人士发现之后，人们才开始研究它。现在，让我们一起来认识它吧！

双齿围沙蚕喜欢栖息在淡、咸水交汇的泥滩
地上，分布极广，在欧洲、地中海、北美洲、大
西洋沿岸、日本以及我国台湾和渤海都能见到它
的踪迹。

藏头缩尾的穴居生活

"呼——还是躲在洞穴里安全！"

栖息在泥滩里的双齿围沙蚕，为了避免被螃蟹、鸟类或鱼类等天敌猎食，平时都藏身在洞穴里，或只将头、尾小部分露在洞穴外面。就连摄食时，也只将身体前半段伸出洞穴外而已；倘若食物太大无法吞下，它会利用颚齿将食物拉回洞穴中再慢慢享用。

双齿围沙蚕不像同样穴居的蚯蚓一样直接吞食沙粒，而是在栖息地的表面摄食有机颗粒或其他小生物。摄食时，具伸缩性的咽部会从体腔内向外翻出，用咽部前一对颚齿捕食食物；颚齿无法咀嚼，食物只能由咽部囫囵吞下，到体内再进行消化。

身体结构大公开

你注意到了吗？双齿围沙蚕和蚯蚓一样，身体也是一节节的，这是因为它和蚯蚓都是环节动物的缘故。不过，蚯蚓属于贫毛纲，而双齿围沙蚕则属于多毛纲。多毛纲的沙蚕除了有眼睛、触毛、触须之外，体节上还有侧生的附肢——疣足。

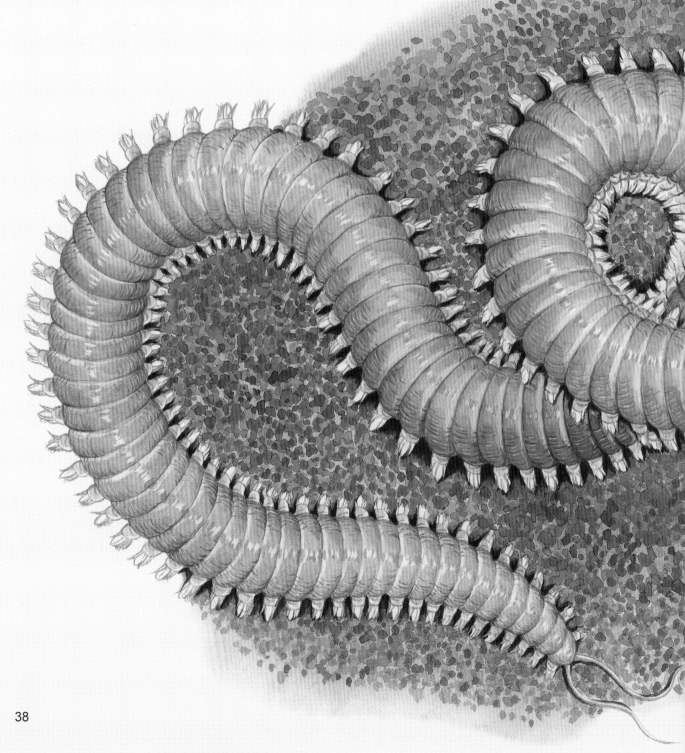

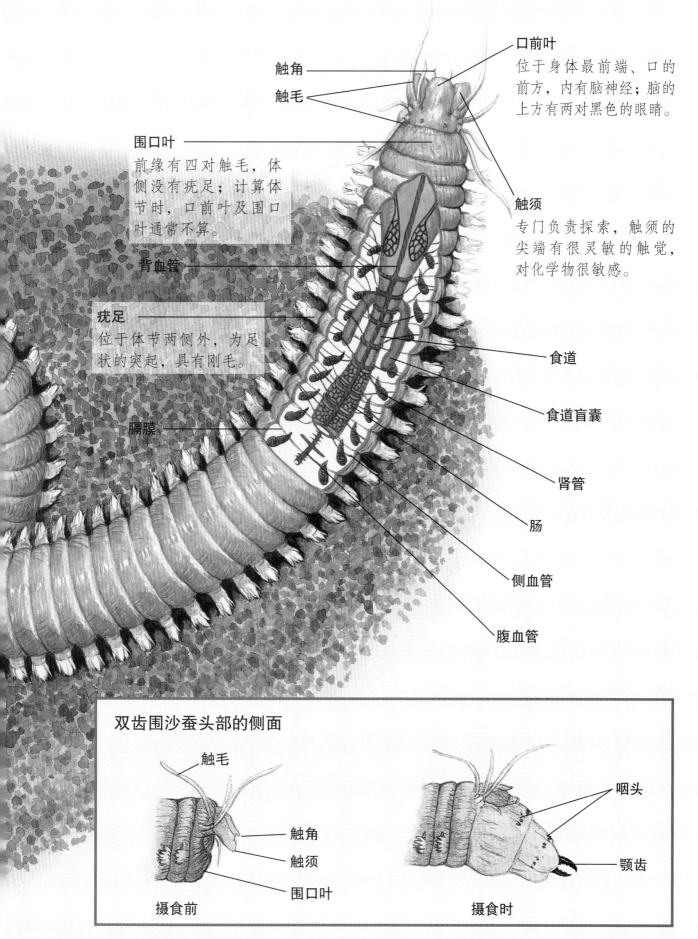

触角

触毛

口前叶
位于身体最前端、口的前方，内有脑神经；脑的上方有两对黑色的眼睛。

围口叶
前缘有四对触毛，体侧没有疣足；计算体节时，口前叶及围口叶通常不算。

触须
专门负责探索，触须的尖端有很灵敏的触觉，对化学物很敏感。

背血管

疣足
位于体节两侧外，为足状的突起，具有刚毛。

食道

食道盲囊

肾管

膈膜

肠

侧血管

腹血管

双齿围沙蚕头部的侧面

触毛

触角

触须

围口叶

摄食前

咽头

颚齿

摄食时

奇妙的变态现象

"啊！这是双齿围沙蚕吗？"

没错，双齿围沙蚕的体节有 150—180 节，爬行时长度可超过 20 厘米。但是，一旦到了繁殖期，双齿围沙蚕雌、雄个体除了体节变短、体色改变之外，疣足的基部也会长出蒲扇状的构造。这些蒲扇状的构造功能相当于桨，因此本来在地面爬行的双齿围沙蚕变得也能在水中游泳了！

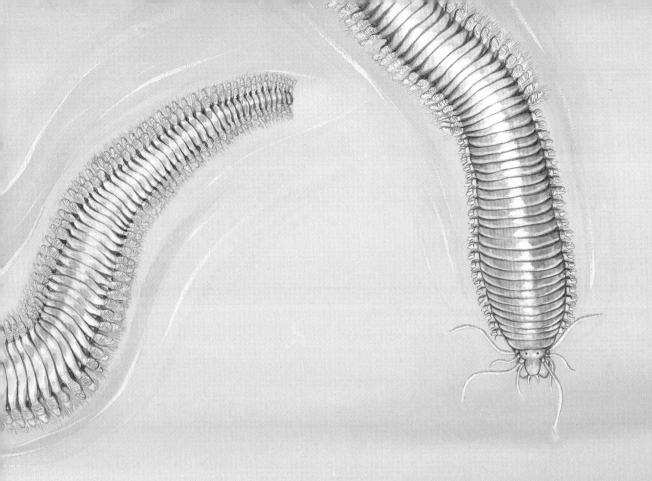

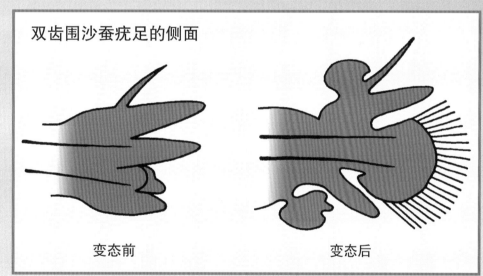

双齿围沙蚕疣足的侧面

变态前　　　　　　　　　变态后

　　双齿围沙蚕为雌、雄异体，但两者体色都一样，无法从外观区别。不过，有时变态后雌、雄体色差异较明显，雌性呈绿色，而雄性则为淡绿色或土黄色。

1. 未受精的卵呈绿色。

2. 受精后，卵外有一层厚厚的透明物。

3. 受精后3.5小时，分裂成2个细胞。

4. 受精后8.5小时，分裂成8个细胞。

5. 受精后23小时，形成中空球形的囊胚。

双齿围沙蚕宝宝的成长日志

双齿围沙蚕的寿命为2—3年，雄虫在排出雾状的精子后便结束生命，雌虫受到刺激排出绿色的卵后也随之死亡。这些精子、卵，有的受精成功并幸运地长大，然后就会在涨潮时回到河口附近的泥滩上穴居，到了生殖期再游回海中繁殖下一代。双齿围沙蚕宝宝从受精卵到孵化、成长的过程不容易观察到，不过在实验中借助摄影记录，却可以完整地观察它们的幼虫生活史，快来一起瞧瞧吧！

7. 受精后3天，刚孵化的幼虫浮游于水中，眼点尚未长出，已有3个体节。

6. 受精后56小时，发育成具有纤毛带的"担轮幼体"。

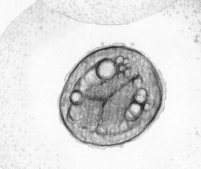

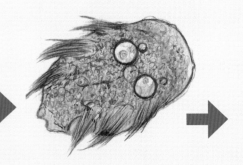

12. 受精后 17 天，幼虫有 7 个体节。

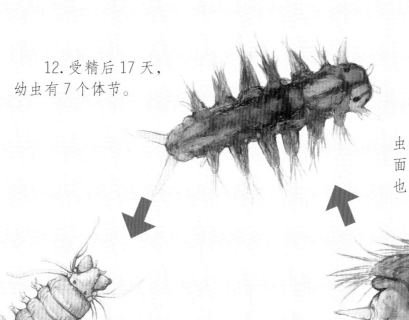

11. 受精后 13 天，幼虫纤毛带消失，虫体都在地面上爬行，即使偶尔游动，也以扭动身体为主。

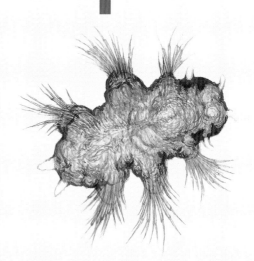

吞食的藻类

13. 受精后 30 天，幼虫外部构造几乎长齐，已进入稚生阶段。虫体的体节和大小视食物、养分多寡而有很大的差别，例如：以藻类为食的，体长仅 2 毫米，体节 10—14 节；而以淤泥为食的，体长达 4.3 毫米，体节数则达 18 节。

8. 受精后 5 天，幼虫长出 4 个眼点。

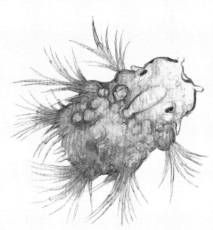

9. 受精后 6 天，幼虫开始摄食沉在底部的藻类。

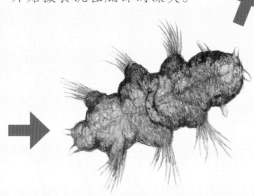

10. 受 精 后 12 天，幼虫爬行能力增强，并开始有排遗。

翩然翱翔绿水间——小白鹭

小白鹭是鹳形目鹭科鸟类，它们雪白的身影，优雅地飞翔在青山绿水间，相信看过的人都觉得很难忘吧！

鹭科鸟类全世界共有 62 种，比较常见的有小白鹭、牛背鹭和夜鹭等，它们彼此相安无事地群居在水边的树林里，辛勤地寻觅食物、喂养幼雏。小白鹭和牛背鹭习惯白天外出觅食，傍晚才会回巢休息；夜鹭则正好相反，经常是别人回家了，它们才往外飞。

小白鹭

小白鹭的特征是全身雪白，从嘴尖到尾端有 50 多厘米长。嘴和脚是黑色的，脚趾是黄色的。繁殖期间，它的头后部会长出两三根细长的饰羽，肩上也长出一些饰羽，非常美丽。到了冬天，这些饰羽会消失，而且眼睛四周一圈窄窄的皮也会由淡青色转变为黄色。

小白鹭

牛背鹭

夜鹭

牛背鹭喜欢停在牛背上或亦步亦趋地跟在牛后面，等着啄食惊飞起来的昆虫，所以被称为"牛背鹭"。牛背鹭在夏天时全身大部分羽毛都是黄色，尤其是头、颈、喉、背部的颜色更深；冬天时全身变为雪白。除了脚是黑色以外，嘴和眼一年四季都是黄色，所以很容易和小白鹭区分。

夜鹭的特征是头顶、背部和翅膀是蓝黑色，颈、腹是灰白色，颜色很特殊。

　　小白鹭在筑巢时，通常是一只出外寻找枯枝，另一只把找回来的枯枝用嘴细心地安插在树丛间，搭成一个牢固的巢。这些枯枝通常是从很远的地方捡回来的，可是有些小白鹭喜欢偷懒，就到隔壁的巢里去偷一两根回来，万一运气不好被发现，免不了被人家狠狠地"修理"一顿！

　　每年 3 月初，鹭类会从温暖的南方，飞回北方的旧居筑巢、生蛋和抚养下一代。10 月左右，小鸟长大独立了，它们又会拆掉旧巢飞往南方过冬。每当到了繁殖季节，小白鹭就会长出美丽的饰羽，牛背鹭的羽色也变得非常艳丽，以便吸引异性，共筑爱巢。等到巢搭好后，它们就产下一窝蛋，然后开始轮流孵蛋。孵 21 天左右，幼雏就会破壳而出。

小白鹭每隔一两天产一枚蛋，产下三四枚时，就要开始孵蛋了。

刚出生一两天的幼雏，全身毛茸茸的，还站不起来。

初春时分的气温还很低，第一批幼雏出生后，经常会遇上梅雨季节，所以有时小白鹭会被冻死。图中的小白鹭妈妈为了给小白鹭保暖，辛苦地撑开翅膀，把小白鹭搂在怀里，它的目光流露出母爱的光辉。

小白鹭妈妈找到了食物，比如昆虫、小鱼、小虾等，就先吞进嗉囊里，使食物成半消化状态，再吐出来喂小宝宝。小宝宝把长喙伸进妈妈嘴里，"嘎——嘎——"地接受食物。

小白鹭的主要食物是河里的鱼虾和田里的昆虫。小白鹭的小宝宝胃口奇大，每天几乎一睁开眼就吵着要东西吃。爸爸妈妈为了喂饱这几张大嘴巴，只好终日不停地觅食，有时一天要来回上百次！

小白鹭在农田、原野间原本是最常见的鸟类，但是由于近年来农药滥用和河川污染日益严重，它们栖息的树林不断地被开发、破坏，总数已经越来越少，如果再不善加保护，恐怕以后再也看不见这种美丽的鸟儿了。因此，妥善地为小白鹭创造一个良好的生存环境，实在是件刻不容缓的事情！

幼鸟站在巢边，引颈期盼双亲赶快带吃的东西回来。幼鸟蹲在巢里如果发现有人或动物来侵袭，就会从胃里吐出半消化的腥臭青蛙、烂鱼来攻击敌人。有时候也会粪尿齐飞，吓得树下的人抱头鼠窜。

幼鸟换过羽毛后大约两个半月，就要开始学飞了。这时小白鹭妈妈就利用喂食的机会，诱引幼鸟跳到枝头上。为了要东西吃，幼鸟不得不追着妈妈到处飞跑，渐渐就学会飞翔了。

成语中的科学——缘木求鱼

"缘木求鱼"这个成语的意思是"爬到树上去找鱼",通常用来比喻处理事情的方法不正确,必定会白白花费力气而没有任何收获。

我们印象中的鱼儿都是生长在水中的,一旦离开了水,它们就无法继续生存。但是,有些鱼儿却不是这样哟!

生活在河口沼泽地区的弹涂鱼,不仅能在水里自在地悠游,还能在陆地上爬行,甚至还可以爬到树上呢!

弹涂鱼的长相和平常的鱼差不多，它在水里时，也用鳃呼吸。当它在陆地上时，则是靠湿润的皮肤和鳃中的水分来呼吸，离开水面的时间可达40分钟以上！

除了特殊的呼吸器官以外，弹涂鱼的腹鳍长得像吸盘一样，所以它可以吸附在石头或树干上。

如果你有机会到沼泽区游玩，不妨仔细瞧瞧当潮水涨起时，岸边的树干及防波堤上，是不是有成群的弹涂鱼往上攀爬。所以，"缘木求鱼"并非不可能哟！

神奇的胎生植物——水笔仔

　　陆地的河水奔向大海，在河海交汇的地方，有时会形成一块淡水和海水混合的泥滩地。随着潮涨潮落，水的盐分也会随之不断改变，土质也变得泥泞而缺氧。在这样恶劣的环境里，却有一些能适应这类环境的植物生存其中，我们称为"红树林"。红树林的种类繁多，经常生长在热带和亚热带地区的海湾及河流出海口的两岸，尤其以印度洋和太平洋之间分布最广。

扫一扫，看视频

水笔仔的支持根

中国台湾的红树林主要生长在淡水河口的关渡、竹围以及东石沿海一带。其中淡水河口的红树林虽然只有 60 公顷左右，却是世界上难得一见的水笔仔纯林，而且位于北纬 25 度附近，这是世界上红树林分布最北的界限。

寻访水笔仔的家

　　沼泽地区的盐分很高，附近的风沙又大，而且波浪经常拍击岸边，一般植物根本无法生长。而水笔仔是一种属于红树科的落叶小乔木，它的构造和形态非常特殊，可以靠神奇的"呼吸根"和"胎生"方式，在河海交汇口的沼泽地区生长繁殖。现在我们就去探访水笔仔的生存秘诀，去之前别忘了算好潮水涨落的时间哟！

扫一扫，看视频

水笔仔的胎生苗

　　水笔仔有长椭圆形的叶片，叶子厚实又富有光泽，便于贮存更多水分。如果用指甲轻刮一下枝干，就能看见暗红色的树皮显露出来。再往河岸边走，还可以发现沙地上有许多露在外面的根。根上有很多皮孔用来透气，同时向下抓紧沙地，以支撑身体，因此被称为"呼吸根"，也叫"支持根"。水笔仔就这样屹立在恶劣的环境中。

水笔仔的一生

　　每年到了5—6月，水笔仔便纷纷开出星状的白色小花，花朵带有清香。等到花谢了之后，就会结出黄褐色的果实。每个果实中都有1—3颗种子。到了10月下旬，种子竟然在母树上发芽，伸出胚茎，长成幼苗，这种幼苗就叫作"胎生幼苗"。落地后的幼苗，在潮水不断冲击的环境中，拼命地向下扎根，向上成长，长出茂盛的新叶。两年之后长成幼树，又可以开花结果、繁殖后代了。这就是水笔仔神奇的"胎生"过程。

悬在母树上的幼苗

带有清香的星状小白花，多半 4—8 朵开在一起

幼苗的子叶和幼芽靠着花萼固结在母树上，由母体供给养分，渐渐成长。到了第二年的春天，长约 15 厘米的笔状幼苗成熟了，便脱离母树开始自立。有些幼苗就掉落到母树下，直插在沼泽地里，不久，顶端的花萼脱落，便开始生根、发芽；有些幼苗掉到潮水中，就得漂流一段时间，等落地后才能开始生长。

落地后的幼苗

水笔仔的好邻居

河口沼泽地区涨潮时，沙地全被淹没在水中，水笔仔一根根、一丛丛地浮在浪潮上，构成一幅奇特的画面。到了退潮时，河床露出水面，沙滩上栖息着各种鸟类、蟹类，生机盎然。

翱翔其间的小白鹭

退潮后，沙洲露出水面，可以看见几棵水笔仔疏疏落落地挺立着，这些就是顺着潮水来此落地生根的植株。

红树林里最容易见到的鸟类就是鹭类了，许多牛背鹭、小白鹭和夜鹭都在这儿筑巢，徜徉在浓荫绿林中，以觅食紫螺、船虫维生。每年从9月到第二年5月，许多小水鸭、鸻、鹬等候鸟过境，也会在红树林中栖息和觅食。

弹涂鱼

白扇招潮蟹

蟹类也是河口沼泽区中极吸引人的小生物。这里螃蟹种类繁多，令人叹为观止。其中最惹人喜爱的，便是身披红、白、蓝、黄彩衣的招潮蟹。网纹招潮蟹分布在红树林四周的泥滩及河岸各处；白扇招潮蟹则分布在疏矮的红树林下和岸边的平坦沙滩上。它们经常挥舞着大螯，动作非常灵活！其他还有活蹦乱跳的弹涂鱼，以及生存在沙层底下的金钱蟹、沙蚕等等，也是沼泽区中的主要居民。这许许多多可爱的小生物，为这片河口沼泽地，创造出一个独特又平衡的生态环境！

网纹招潮蟹

保护我们的生态教室

　　红树林不仅具有保持水土的功能，还可以防洪、护堤，净化水质，增加渔产。树皮还能用来提炼单宁，制成染料。更重要的是，它为我们提供了一个珍贵的"生态教室"。

群鸟就诊记

兔医生一早就被吵醒，它赶紧出门一瞧究竟。哇，来求诊的全是失去自己脚爪的鸟类朋友。原来不知谁在搞恶作剧，趁大伙儿熟睡时，把脚爪全交换了，所以它们来恳求兔医生帮忙。瞧它们乱成一团，兔医生也糊涂了，到底该怎么帮它们找回各自的脚爪呢？

我的双脚十分细长，可以避免在沼泽地带涉水时陷于松软的泥土中，因此小生物常不知道我就在身旁，准备大快朵颐呢！

我喜欢吃肉，粗短有力的脚和锐利的趾爪可以让我紧紧扣住猎物。

鹰

苍鹭

我是水鸟的一种，脚上四趾间的蹼就像鱼鳍般，可以用来划水。

鸥

谁的鸟嘴最特别?

每一种鸟都有嘴巴，为了适应不同的取食方式，会慢慢演化成不同的形状。你能从下面6只正在进食的鸟中，看出它们的嘴形各像我们日常生活中的哪些工具吗?

> 我专吃树皮里的昆虫，因此嘴巴必须能够在树干上钻出一个洞，才能将虫子抓出来。

啄木鸟

> 我的嘴可以很快地啄食地面上的任何食物。

麻雀

琵鹭

> 我的嘴扁扁的，可以把鱼和其他食物从污泥中挖起来。

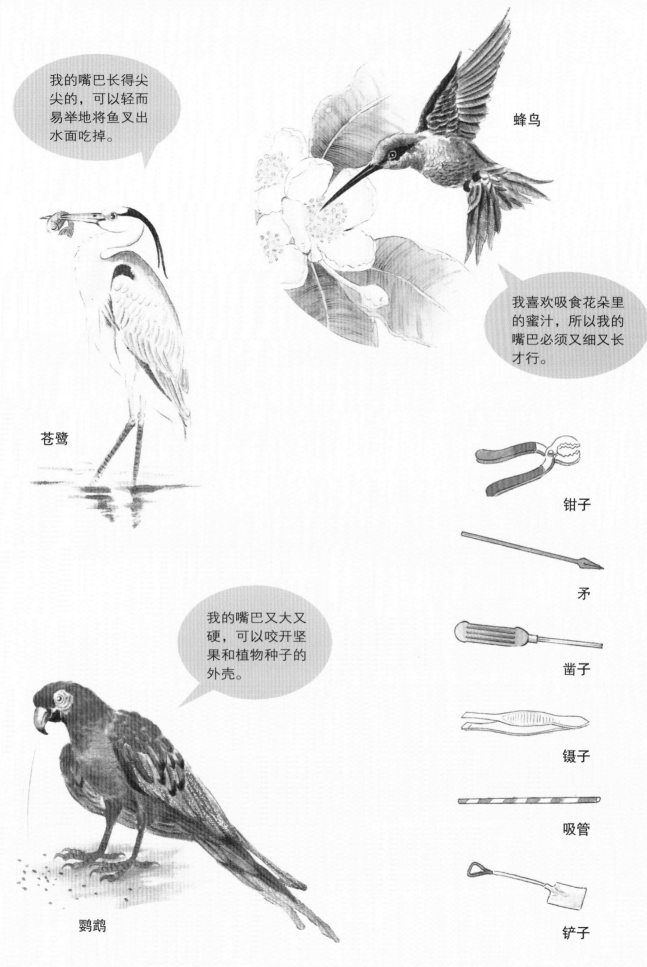

我的嘴巴长得尖尖的，可以轻而易举地将鱼叉出水面吃掉。

蜂鸟

苍鹭

我喜欢吸食花朵里的蜜汁，所以我的嘴巴必须又细又长才行。

我的嘴巴又大又硬，可以咬开坚果和植物种子的外壳。

钳子

矛

凿子

镊子

吸管

铲子

鹦鹉

小牛顿 科学馆 全新升级版